Read French

Carol Watson
Illustrated by Colin King

Translation: Marie-Lorraine Sharp

Series Editor: Heather Amery

Consultant: Betty Root

The House
La Maison

This is our house.
Voici notre maison.

bird
l'oiseau

nest
le nid

chimney
la cheminée

tree
l'arbre

roof
le toit

owl
le hibou

cat
le chat

window
la fenêtre

flower
la fleur

door
la porte

garage
le garage

dog
le chien

pram
le landau

sack
le sac

wheelbarrow
la brouette

2

It has
Elle a

a very tall chimney,
une très haute cheminée,

a bright red roof,
un toit rouge vif,

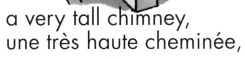

five windows
cinq fenêtres

and a big green door.
et une grande porte verte.

3

In the kitchen
Dans la cuisine

saucers
les soucoupes

cups
les tasses

door
la porte

cakes
les gâteaux

apron
le tablier

bowl
le saladier

glass
le verre

knife
le couteau

table
la table

fork
la fourchette

spoon
la cuillère

stool
le tabouret

chair
la chaise

window
la fenêtre

blind
le store

clock
la pendule

cooker
la cuisinière

cupboard
le placard

saucepan
la casserole

sink
l'evier

tray
le plateau

plate
l'assiette

poubelle

dustpan
la pelle

dog
le chien

brush
la balayette

5

The dog chases the cat
Le chien poursuit le chat

across the sink,
sur l'évier,

under the cooker,
sous la cuisinière,

over the table
par-dessus la table

and round the bin.
et autour de la poubelle.

They knock down
Ils font tomber

cups and saucers,
des tasses et des soucoupes,

a big saucepan,
une grande casserole,

a plate of cakes
une assiette de gâteaux

and the red apron.
et le tablier rouge.

The decorators have come to paint the living room.
Les peintres sont venus peindre la salle de séjour.

clock
la pendule

mirror
le miroir

curtain
le rideau

picture
le tableau

television
la télévision

cushion
le coussin

ladder
l'échelle

armchair
le fauteuil

table
la table

rug
le tapis

can
le pot

dog
le chien

paintbrush
la brosse

We take down
On enlève

the three pictures,
les trois tableaux,

the orange curtains,
les rideaux orange,

the old mirror
le vieux miroir

and the dusty clock.
et la pendule poussiéreuse.

9

They carry out
Ils sortent

the small table,
la petite table,

a big armchair,
un gros fauteuil,

the television
la télévision

and the rug.
et le tapis.

The decorators have finished.
Les peintres ont fini.

clock
la pendule

mirror
le miroir

television
la télévision

plant
la plante

lamp
la lampe

cat
le chat

wool
la laine

armchair
le fauteuil

baby
le bébé

ball
la balle

bricks
les cubes

Dad is repairing his car in the garage.
Papa répare sa voiture dans le garage.

roof
le toit

windscreen
le pare-brise

boot
le coffre

saw
la scie

hose
le tuyau
d'arrosage

bonnet
le capot

wheel
la roue

door
la portière

toolbox
la boîte à outils

light
le phare

spade
la bêche

nail
le clou

hammer
le marteau

wood
le bois

spanner
la clé

bucket
le seau

axe
la hache

box
la boîte

12

We help him to
Nous l'aidons à

wash the bonnet,
laver le capot,

polish the lights,
astiquer les phares,

clean the windscreen and the wheels.
nettoyer le pare-brise et les roues.

13

The garden
Le jardin

tree
l'arbre

nest
le nid

leaf
la feuille

fly
la mouche

plant
la plante

wall
le mur

broom
le balai

rake
le râteau

pram
le landau

butterfly
le papillon

worm
le ver de terre

seeds
les graines

spade
la bêche

bird
l'oiseau

watering can
l'arrosoir

bee
l'abeille

flower
la fleur

14

door
la porte

step
la marche

bush
l'arbuste

treehouse
la cabane

owl
le hibou

washing
le linge

path
l'allée

clothes peg
la pince à
linge

grass
l'herbe

rope ladder
l'échelle de
corde

wheelbarrow
la brouette

basket
le panier

bone
l'os

15

In the garden Dad likes to
Dans le jardin papa aime

dig the ground,
bêcher la terre,

plant seeds,
semer des graines,

water the flowers
arroser les fleurs

and sweep up the leaves.
et ramasser les feuilles.

We play in the garden.
Nous jouons dans le jardin.

We chase butterflies,
Nous courons après les papillons,

pick up worms,
ramassons des vers de terre.

hide in the bushes
nous cachons dans les buissons

and climb the trees.
et grimpons aux arbres.

It is bathtime.
C'est l'heure du bain.

mirror
le miroir

brush
la brosse

bubbles
les bulles

sponge
l'éponge

toothbrush
la brosse à
dents

tap
le robinet

toothpaste
le dentifrice

washbasin
le lavabo

bath
la baignoire

bathmat
le tapis de bain

toilet
les cabinets

towel
la serviette

water
l'eau

soap
le savon

18

In the bath
Dans le bain

we turn on the taps,
on ouvre les robinets,

we splash the water,
on éclabousse,

we make some bubbles
on fait des bulles

and we play with the soap.
et on joue avec le savon.

Bedtime
L'heure du coucher

light
la lumière

wardrobe
l'armoire

dress
la robe

drawer
le tiroir

jumper
le pull-over

dressing gown
la robe de
chambre

slipper
la pantoufle

jeans
le jean

boots
les bottes

shoe
la chaussure

dog
le chien

cap
la casquette

sock
la chaussette

20

hairbrush
la brosse à cheveux

curtain
le rideau

clock
le réveil

doll
la poupée

lamp
la lampe

pillow
l'oreiller

book
le livre

pyjamas
le pyjama

nightdress
la chemise de
nuit

sheet
le drap

teddy
le nounours

bed
le lit

comb
le peigne

comic
l'illustré

bricks
les cubes

21

Off to bed!
Au lit!

We take off our shoes
Nous enlevons nos chaussures

and socks.
et nos chaussettes.

Where is the hairbrush?
Où est la brosse à cheveux?

Here is the comb!
Voici le peigne!

Dad puts us to bed.
Papa nous met au lit.

He reads a book to us,
Il nous lit un livre,

draws the curtains and kisses us goodnight.
tire les rideaux et nous embrasse en nous souhaitant bonne nuit.

Here is a puzzle.
Voici une
devinette.

Can you find mum, dad, baby, the cat, two worms and
the spotty dog?
Peux-tu trouver maman, papa, bébé, le chat, deux vers
de terre et le chien tacheté?

The Shop
Le Magasin

The family goes shopping
La famille fait les courses

We are going shopping.
Nous allons faire les courses.

blind
le store

window
la vitrine

jars
les bocaux

cake
le gâteau

shopkeeper
le marchand

bag
le sac

bottles
les bouteilles

basket
le panier

newspaper stand
le tourniquet
de journaux

pram
le landau

dog
le chien

The shop has
Le magasin a

two big windows,
deux grandes vitrines,

a striped blind,
un store à rayures,

a newspaper stand
un tourniquet de journaux

and a shopkeeper.
et un marchand.

Inside the shop
A l'intérieur du magasin

shelf
l'étagère

window
la vitrine

scales
la balance

shopkeeper
le marchand

knife
le couteau

counter
le comptoir

cashier
la caissière

cash desk
la caisse

trolley
le chariot

BREAD AND CAKES - PAIN ET GÂTEAUX

cake
le gâteau

tin
la boîte de conserve

bottle
la bouteille

bread
le pain

basket
le panier

box
le carton

packets
les paquets

freezer
le congélateur

barrel
le tonneau

tube
le tube

29

Mum wants
Maman a besoin

a basket
d'un panier

and a big trolley.
et d'un grand chariot.

FRUIT JUICES
JUS DE FRUITS

We look at the bottles
Nous regardons les bouteilles

and tins.
et les conserves.

We take
Nous prenons

a box off the shelf,
une boîte sur l'étagère,

peas from the freezer,
des petits pois dans le congélateur,

apples from the barrel
des pommes dans le tonneau

and a packet of sugar.
et un paquet de sucre.

31

We look at the meat and fish.
Nous regardons la viande et le poisson.

MEAT AND FISH
VIANDE ET POISSON

ham
le jambon

sausages
les saucisses

fish
le poisson

paper
le papier

knife
le couteau

chicken
le poulet

chops
les côtelettes

bacon
le bacon

We buy
Nous achetons

five chops,
cinq côtelettes,

two big fish,
deux gros poissons,

some sausages
des saucisses

and a fat chicken.
et un gros poulet.

33

Mum buys vegetables and fruit.
Maman achète des légumes et des fruits.

FRUIT
FRUITS

AND
ET

grapes
les raisins

cauliflower
le chou-fleur

onions
les oignons

lemons
les citrons

cabbages
les choux

lettuces
les laitues

pineapples
les ananas

cucumber
le concombre

tomatoes
les tomates

apples
les pommes

grapefruit
les pamplemousses

orange
l'orange

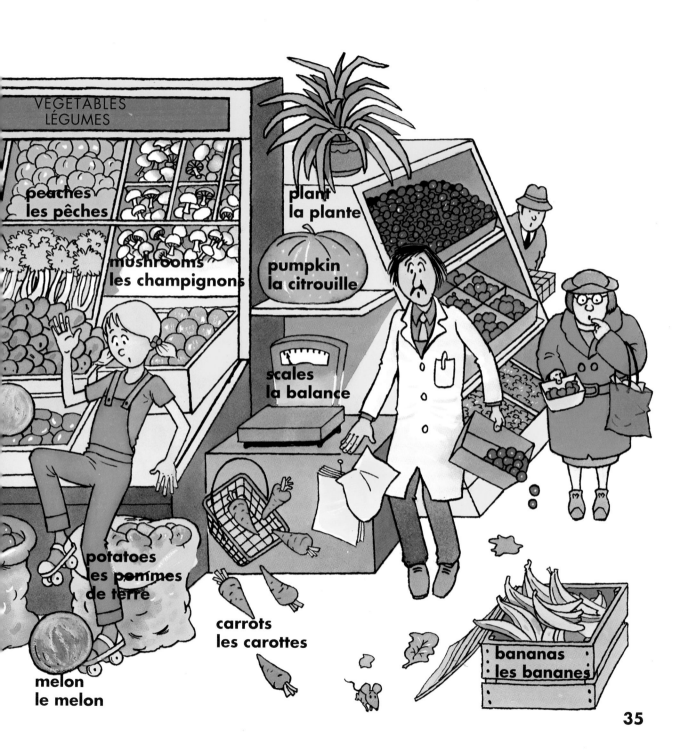

VEGETABLES
LÉGUMES

peaches
les pêches

mushrooms
les champignons

plant
la plante

pumpkin
la citrouille

scales
la balance

potatoes
les pommes
de terre

carrots
les carottes

melon
le melon

bananas
les bananes

35

We pick up
Nous prenons

a few bananas,
quelques bananes,

a box of mushrooms,
une caisse de champignons,

a string of onions
un chapelet d'oignons

and two lettuces.
et deux laitues.

The man weighs
L'homme pèse

some apples
des pommes

and lots of carrots.
et beaucoup de carottes.

He drops a cabbage
Il laisse tomber un chou

and steps on a tomato.
et marche sur une tomate.

37

We find the bread and cakes.
Nous trouvons le pain et les gâteaux.

BREAD AND CAKES - PAIN ET GÂTEAUX

icing
le glaçage

fruit cake
le cake

cake
le gâteau

chocolate cake
le gâteau au chocolat

buns
les brioches

bread
le pain

doughnuts
les beignets

French stick
la baguette

biscuit
le biscuit

bun
la brioche

38

We take ten buns,
Nous prenons dix brioches,

some bread,
du pain,

a packet of biscuits
un paquet de biscuits

and a chocolate cake.
et un gâteau au chocolat.

39

We stop at the dairy counter.
Nous nous arrêtons au rayon crémerie.

milk
le lait

margarine
la margarine

cheese
le fromage

butter
le beurre

cream
la crème

yoghurt
le yaourt

eggs
les oeufs

Dairy Products - Produits Laitiers

We buy
Nous achetons

six pots of yoghurt,
six pots de yaourt,

two boxes of eggs,
deux boîtes d'oeufs,

three cartons of milk
trois cartons de lait

and some cheese.
et du fromage.

We find lots of things to read.
Nous trouvons beaucoup de choses à lire.

Books and Magazines
Livres et Revues

books
les livres

pens
les stylos

newspaper
le journal

pencil
le crayon

magazine
la revue

baby
le bébé

sweets
les bonbons

handbag
le sac à main

comic
l'illustré

Mum stops to talk to her friends.
Maman s'arrête et bavarde avec ses amies.

cashier
la caissière

till
la caisse

purse
le porte-monnaie

bag
le sac

ice lolly
l'esquimau

chocolate
le chocolat

freezer
le congélateur

box
le cageot

We buy
On achète

some new pencils,
des crayons neufs,

coloured felt-tip pens
des feutres de couleur

and some sweets and chocolate for Dad.
et des bonbons et du chocolat pour papa.

At last we have finished.
Enfin nous avons fini.

Mum opens her purse and drops all her money.
Maman ouvre son porte-monnaie et laisse tomber tout son argent.

We pay the cashier,
Nous payons la caissière,

fill up the bags and off we go.
remplissons les sacs et en route.

Here is a puzzle.
Mum put these things into her bag.
Voici une devinette.
Maman a mis les choses suivantes dans son sac.

cake
le gâteau

carrots
les carottes

bananas
les bananes

chicken
le poulet

fish
le poisson

cheese
le fromage

eggs
les oeufs

sausages
les saucisses

lettuce
la laitue

Can you see what she lost on the way?
Vois-tu ce qu'elle a perdu en chemin?

Here is another puzzle.
Voici une autre devinette.

Can you find a bottle, a jar, a cake, some bread and a string
of onions?
Peux-tu trouver une bouteille, un bocal, un gâteau, du pain et
un chapelet d'oignons?

The Town
La Ville

The family goes to town
La famille va en ville

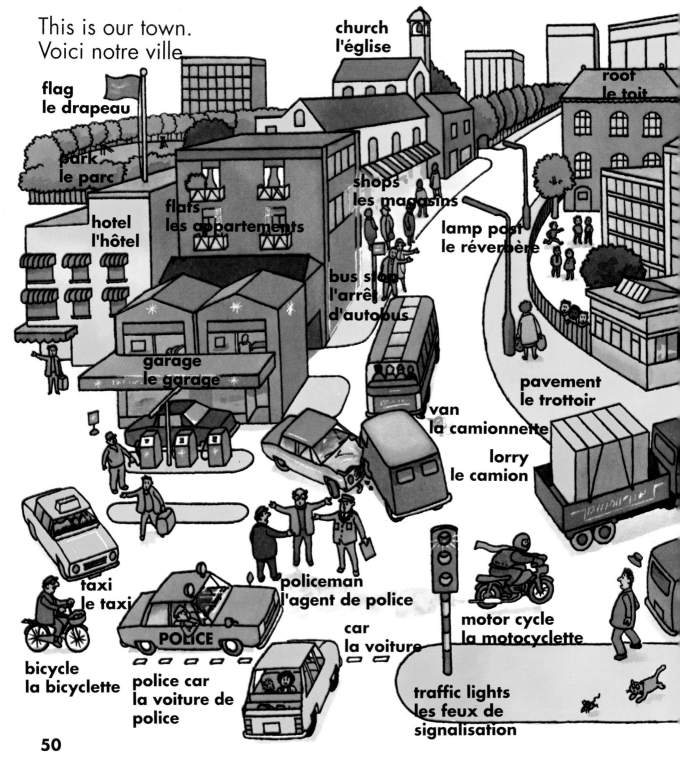

This is our town.
Voici notre ville

church
l'église

flag
le drapeau

roof
le toit

park
le parc

shops
les magasins

hotel
l'hôtel

flats
les appartements

lamp post
le réverbère

bus stop
l'arrêt
d'autobus

garage
le garage

pavement
le trottoir

van
la camionnette

lorry
le camion

taxi
le taxi

policeman
l'agent de police

motor cycle
la motocyclette

car
la voiture

bicycle
la bicyclette

police car
la voiture de
police

traffic lights
les feux de
signalisation

50

We go to town in the car.
Nous allons en ville en voiture.

hospital
l'hôpital

factory
l'usine

school
l'école

ambulance
l'ambulance

road
la rue

offices
les bureaux

bus
l'autobus

drill
le marteau piqueur

pedestrian crossing
le passage pour piétons

postman
le facteur

In the town there is
En ville il y a

a big hotel,
un grand hôtel,

a block of flats,
un immeuble,

a biscuit factory
une biscuiterie

and lots of shops.
et beaucoup de magasins.

Grandad is riding his bicycle. He goes past
Grand-père fait de la bicyclette. Il dépasse

a red van,
une camionnette rouge,

a big lorry,
un gros camion,

a yellow taxi
un taxi jaune

and the school bus.
et l'autobus de l'école.

We stop at the garage.
Nous nous arrêtons au garage.

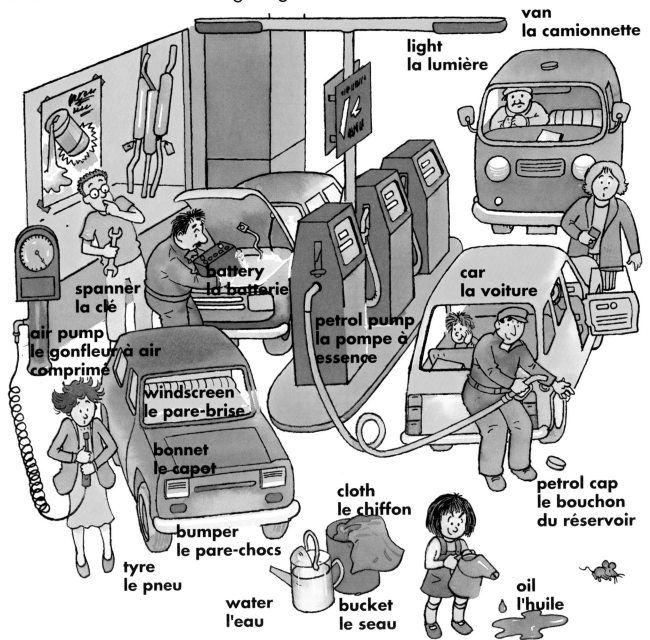

van
la camionnette

light
la lumière

spanner
la clé

battery
la batterie

car
la voiture

air pump
le gonfleur à air comprimé

petrol pump
la pompe à essence

windscreen
le pare-brise

bonnet
le capot

cloth
le chiffon

petrol cap
le bouchon du réservoir

bumper
le pare-chocs

tyre
le pneu

water
l'eau

bucket
le seau

oil
l'huile

We help the attendant
Nous aidons le garagiste

to put petrol in the tank,
à mettre de l'essence
dans le réservoir,

oil in the engine,
de l'huile dans le moteur,

water in the radiator
de l'eau dans le radiateur

and to inflate the tyres.
et à gonfler les pneus.

55

It is Julie's first day at school.
C'est le premier jour d'école de Julie.

clock
la pendule

door
la porte

picture
le dessin

brushes
les pinceaux

paper
le papier

ruler
la règle

bookcase
la bibliothèque

book
le livre

glue
la colle

paint
la peinture

rubber
la gomme

crayon
le crayon de
couleur

pencil
le crayon

scissors
les ciseaux

paintbrush
le pinceau

The teacher says hello.
La maîtresse dit bonjour.

blackboard   le tableau

window
la fenêtre

chalks
les craies

jar
le bocal

notebook
le carnet

pen
le stylo

register
le cahier de classe

map
la carte

cupboard
le placard

drawing pins
les punaises

table
la table

weight
le poids

chair
la chaise

scales
la balance

wastepaper bin
la corbeille à papier

2 + 3 =

57

The children are working.
Les enfants travaillent.

They write with pencils,
Ils écrivent avec des crayons,

paint pictures,
font de la peinture,

look at books
regardent des livres

and cut up paper.
et découpent du papier.

When the teacher is not looking,
Quand la maîtresse ne regarde pas,

Julie spills the paint,
Julie renverse la peinture,

squeezes the tube of glue,
presse le tube de colle,

climbs on the bookcase
monte sur la bibliothèque

and tears up paper.
et déchire du papier.

The workmen dig a hole in the ground.
Les ouvriers creusent un trou dans le sol.

cement mixer
la bétonnière

broom
le balai

digger
la pelleteuse

rail
la barre

cement
le ciment

motor
le moteur

plank
la planche

drill
le marteau-piqueur

bricks
les briques

trowel
la truelle

shovel
la pelle

tap
le robinet

earth
la terre

barrel
le tonneau

hosepipe
le tuyau d'arrosage

lamp
la lanterne

pipe
le tuyau

cat
le chat

boot
la botte

60

They are putting in new pipes. One man
Ils posent de nouveaux tuyaux. Un homme

trips over a shovel,
trébuche sur une pelle,

falls in the cement,
tombe dans le ciment,

knocks over the drill
renverse le marteau-piqueur

and breaks a pipe.
et casse un tuyau.

61

We go to the hospital to see Granny.
Nous allons à l'hôpital voir grand-mère.

WARD FIVE - SALLE 5

pillow
l'oreiller

screen
le paravent

bed
le lit

bedside table
la table de chevet

telephone
le téléphone

doctor
le médecin

nurse
l'infirmière

blanket
la couverture

medicine
les médicaments

trolley
le chariot

pills
les pilules

62

The nurses are very busy.
Les infirmières sont très occupées.

They make the beds,
Elles font les lits,

straighten the pillows
redressent les oreillers

and give pills and medicine to the patients.
et donnent pilules et médicaments aux malades.

Sometimes we go to the swimming pool.
Parfois nous allons à la piscine.

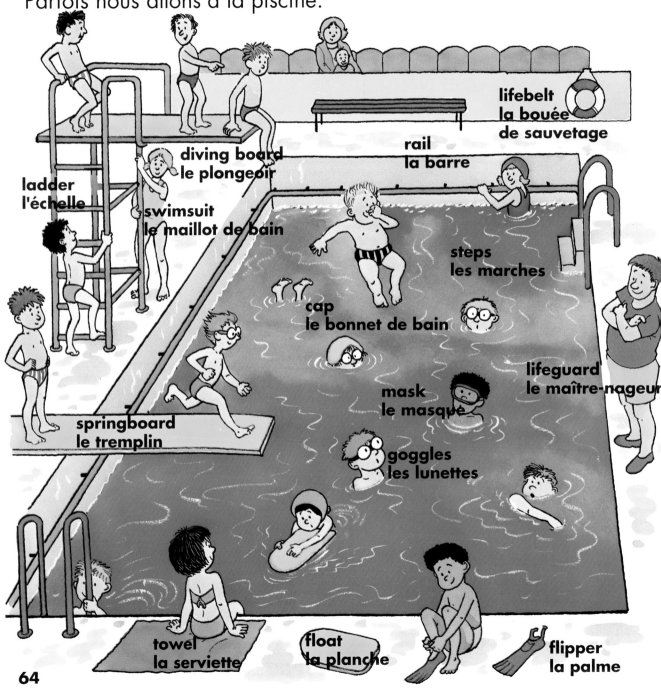

lifebelt
la bouée
de sauvetage

rail
la barre

diving board
le plongeoir

ladder
l'échelle

swimsuit
le maillot de bain

steps
les marches

cap
le bonnet de bain

lifeguard
le maître-nageur

mask
le masque

springboard
le tremplin

goggles
les lunettes

towel
la serviette

float
la planche

flipper
la palme

There are lots of people in the water.
Il y a beaucoup de monde dans l'eau.

A boy climbs the ladder and dives off the board.
Un garçon monte à l'échelle et plonge du plongeoir.

Julie wears a cap
Julie porte un bonnet de bain

and swims with a float.
et nage avec une planche.

We go to play in the park.
Nous allons jouer dans le jardin public.

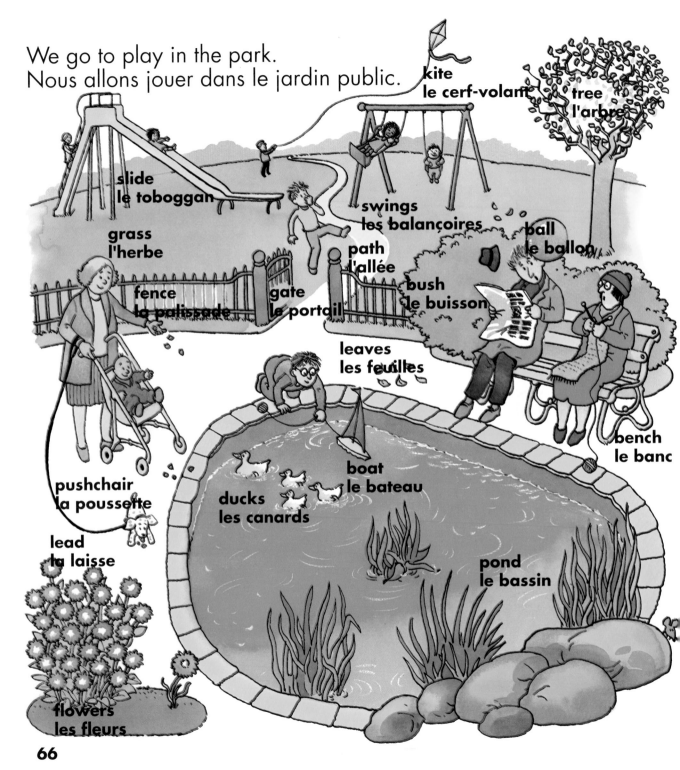

kite
le cerf-volant

tree
l'arbre

slide
le toboggan

swings
les balançoires

ball
le ballon

grass
l'herbe

path
l'allée

fence
la palissade

gate
le portail

bush
le buisson

leaves
les feuilles

bench
le banc

pushchair
la poussette

boat
le bateau

lead
la laisse

ducks
les canards

pond
le bassin

flowers
les fleurs

It is windy.
Il y a du vent.

The kite flies away.
Le cerf-volant s'envole.

The leaves blow off the tree
Les feuilles s'envolent de l'arbre

and the little boat sails across the pond.
et le petit bateau navigue sur le bassin.

We go to the railway station.
Nous allons à la gare.

carriage
la voiture

door
la portière

poster
l'affiche

mailbag
le sac postal

crate
la caisse

porter
le porteur

timetable
l'horaire

ticket collector
le contrôleur

litter bin
la poubelle

ticket
le billet

suitcase
la valise

68

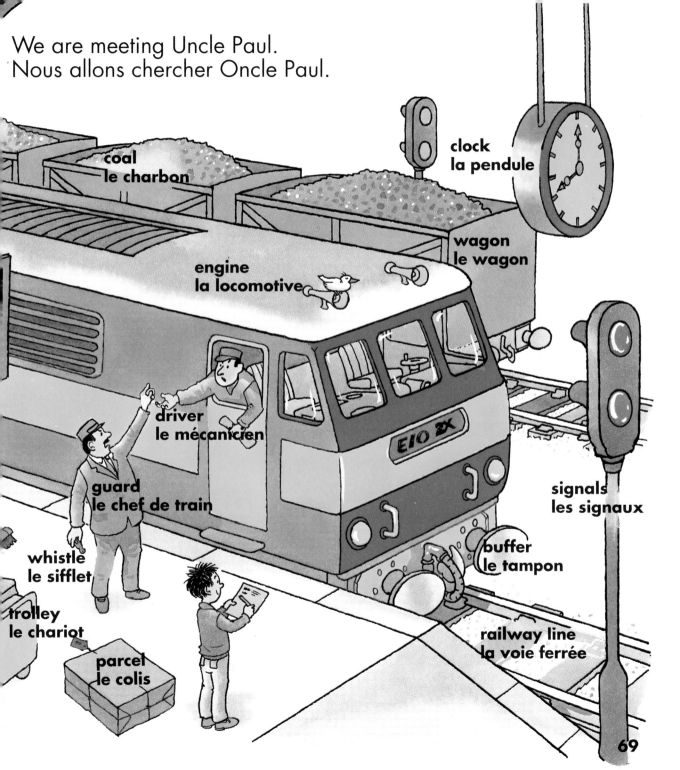

We are meeting Uncle Paul.
Nous allons chercher Oncle Paul.

coal
le charbon

clock
la pendule

wagon
le wagon

engine
la locomotive

driver
le mécanicien

guard
le chef de train

signals
les signaux

whistle
le sifflet

buffer
le tampon

trolley
le chariot

railway line
la voie ferrée

parcel
le colis

69

Uncle Paul gets out of the train,
Oncle Paul descend du train,

puts down his suitcase,
pose sa valise,

calls for a porter,
appelle un porteur,

trips over a mailbag
70 trébuche sur un sac postal

and hands in his ticket.
et donne son billet.

The train is ready to leave.
Le train est prêt à partir.

The signal goes green.
Le signal passe au vert.

The guard closes a door,
Le chef de train ferme une portière,

looks at the clock
regarde la pendule

and blows his whistle.
et siffle.

Here is a puzzle.
Voici une devinette.

Can you find the policeman, the motorcycle, a petrol pump, a
bicycle and a taxi?
Peux-tu trouver l'agent de police, la motocyclette, une pompe à
essence, une bicyclette et un taxi?

Pronunciation guide

There are some sounds in French which are different from any sounds in English. This pronunciation guide has been written to help you say the French words in the book correctly.

Below is a list of letters, with a guide to how to say each one in French. For each word, we have shown an English word, or part of a word, which sounds like it. Say these out loud to find out how to pronounce the French word, then practise saying the examples shown beneath.

a   like the "a" sound in *carrots*: ch<u>a</u>t, s<u>a</u>c

e   like the "e" in *the*: l<u>e</u>, d<u>e</u>

é   like the "ay" sound in *paper*: <u>é</u>vier, t<u>é</u>l<u>é</u>vision

ê   like the "e" in *pencil*: b<u>ê</u>che, fen<u>ê</u>tre

i   like the "i" in *machine*: pol<u>i</u>ce, h<u>i</u>bou

o   like the "o" sound in *crayon*: c<u>o</u>ffre, br<u>o</u>sse

u   round your lips as if to say "oo", then try to say "ee": d<u>u</u>, <u>u</u>ne, b<u>u</u>lles

eau, au   sounds like the "oa" in *boat*: land<u>au</u>, mart<u>eau</u>, plat<u>eau</u>, f<u>au</u>teuil

eu   like the "or" in *worm*: d<u>eu</u>x, fl<u>eu</u>r

ou   like "oo" in *boot*: cl<u>ou</u>, r<u>ou</u>ge, p<u>ou</u>belle

oi   like the "wha" in *whack*: b<u>oî</u>te, <u>oi</u>seau

on, an   like "ong" without the "g": d<u>an</u>s, papill<u>on</u>

un   sounds like the "u" in *cup*, but do not say the n: <u>un</u>

in, ain, im   like "ang" in *hang* without the "g" at the end: tr<u>ain</u>, couss<u>in</u>

c   if before "i" or "e", it sounds like "s" in *sink*: <u>c</u>itron, <u>c</u>iseaux
if before any other letter, it sounds like "c" in *carrot*: <u>conc</u>ombre, <u>c</u>apot

ç   like "s" in *saw*: gla<u>ç</u>age, balan<u>ç</u>oire

ch   is pronounced like "sh" in *shop*: bê<u>ch</u>e, <u>ch</u>ien

g   before "i" and "e", it sounds like the "s" in *measure*: rou<u>g</u>e, éta<u>g</u>ère
before any other letter, it is like the "g" in *garden*: <u>g</u>âteau, ba<u>g</u>uette

gn   like the "ni" sound in *onion*: pei<u>gn</u>e, bai<u>gn</u>oire

j   like the soft "s" in *measure* above: <u>j</u>ardin, py<u>j</u>ama

th   sounds like "t" in *teddy*: bovlio<u>th</u>èque

qu   like "k" in *kiss*: es<u>qu</u>imau, pa<u>qu</u>et

h   is not pronounced: <u>h</u>ôpital, <u>h</u>ache

A consonant at the end of a French word is not usually pronounced e.g. peti<u>t</u> (pe-tee), boi<u>s</u> (bwa), chie<u>n</u> (she-a), rideau<u>x</u> (rid-oh).